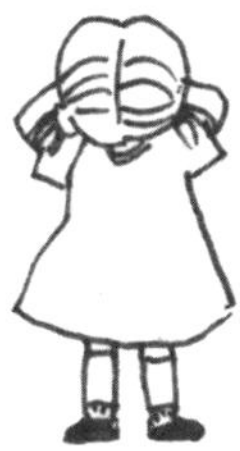

“무궁화꽃이 피었습니다.”

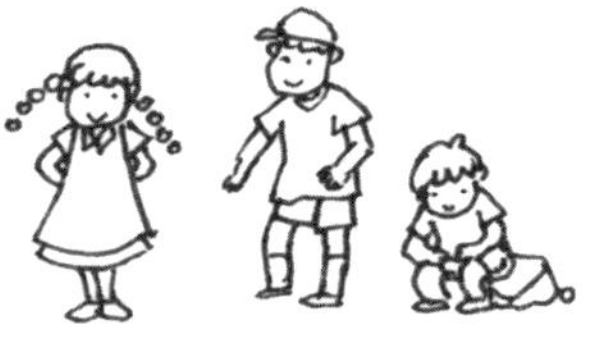

열 걸음 뒤에 아이들이
멈춰 서 있어요.

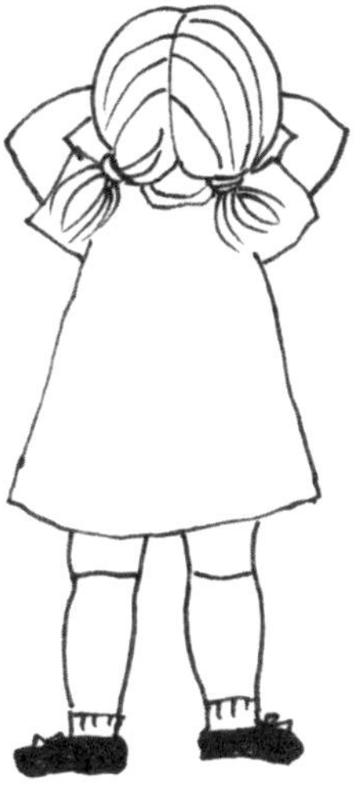

“무궁화꽃이 피었습니다.”

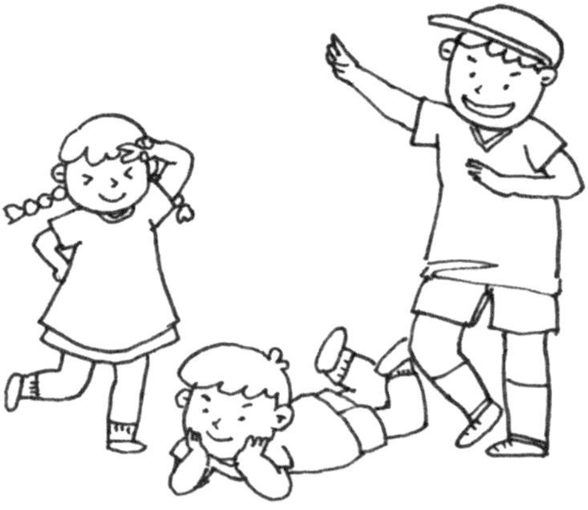

아이들은 이제 다섯 걸음
뒤에 서 있어요.

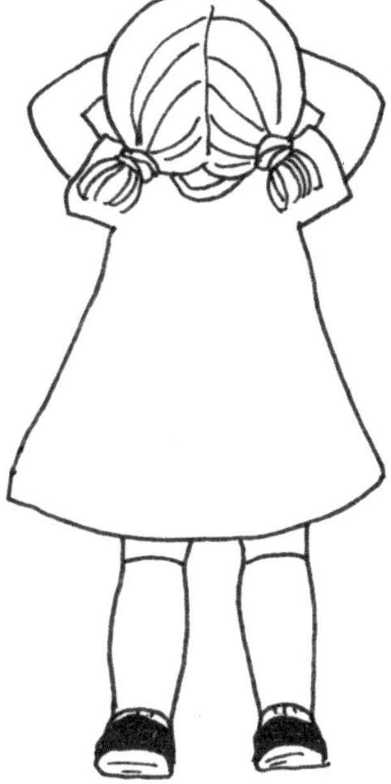

"무궁화꽃이 피었습니다."

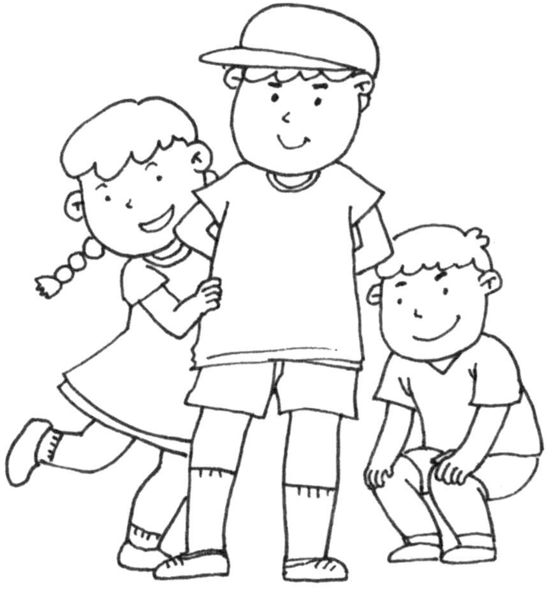

아이들은 이제 세 걸음
뒤에 서 있어요.

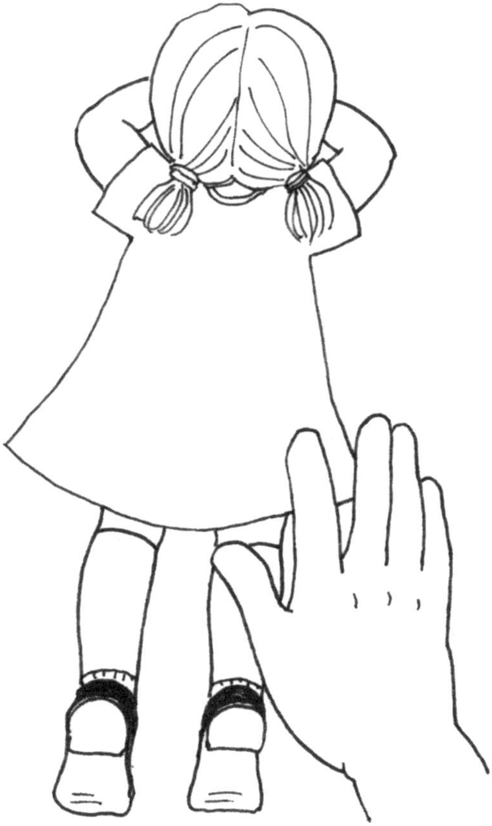

"무궁화꽃이 피었습니다."

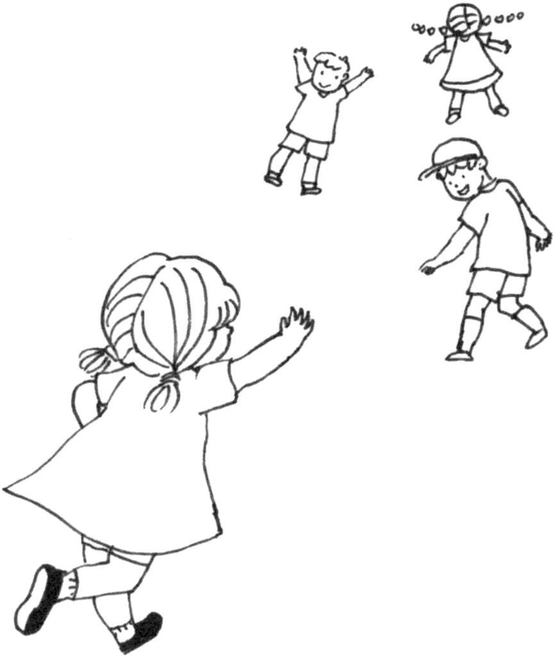

아이들은 멀리 달아나고
민지는 아이들을 따라가요.